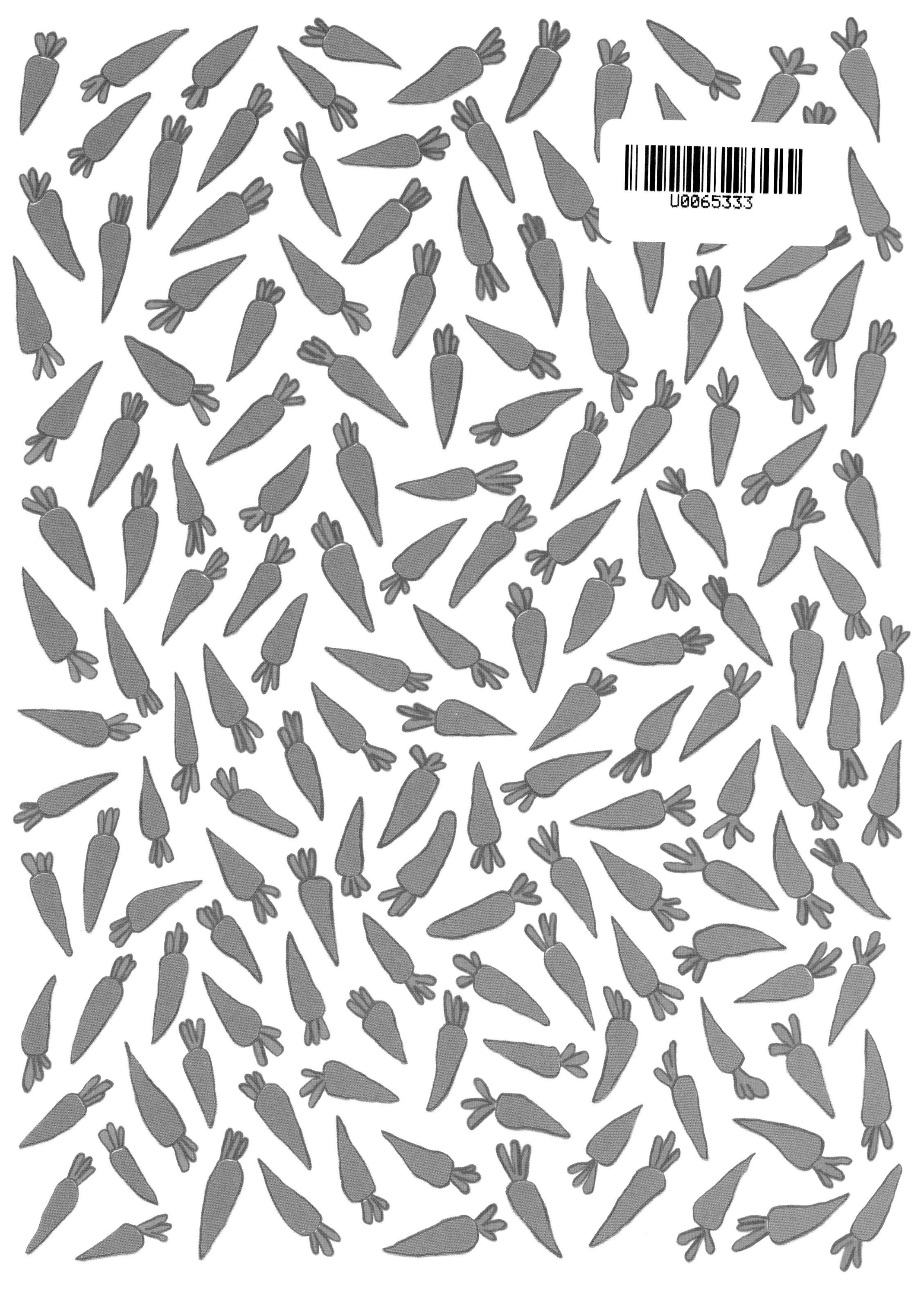

# 小兔子學存錢

文·圖 辛德絲·麥克勞德 Cinders McLeod
譯 顏銘新

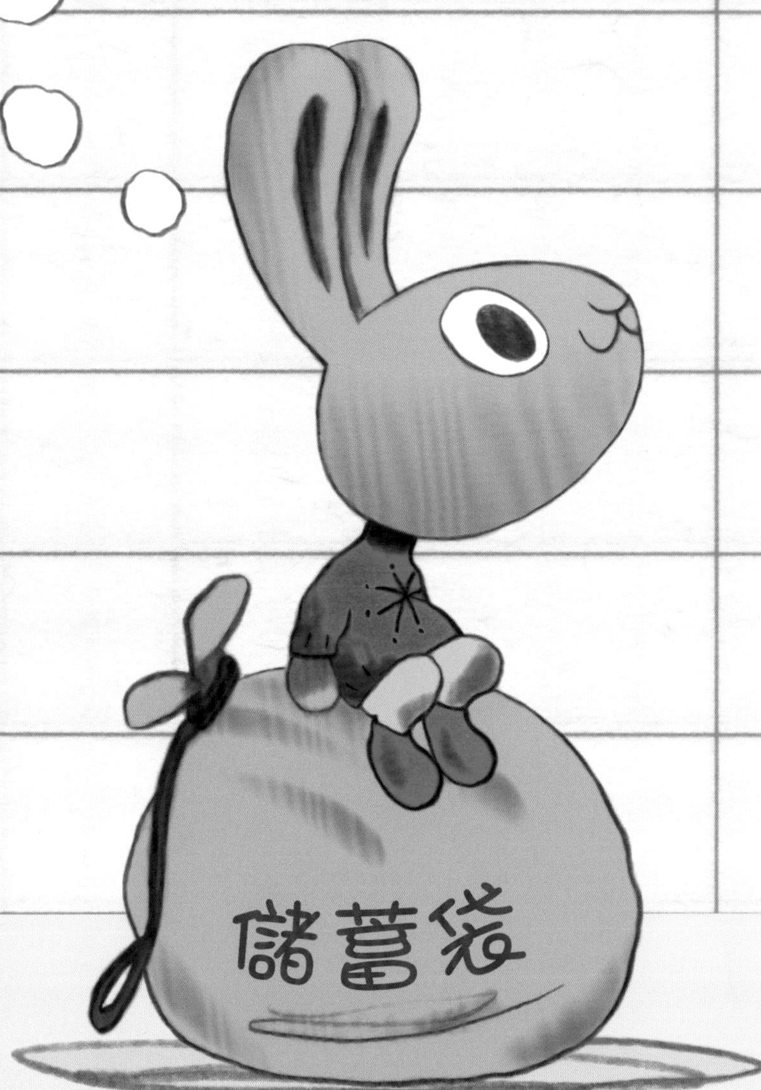

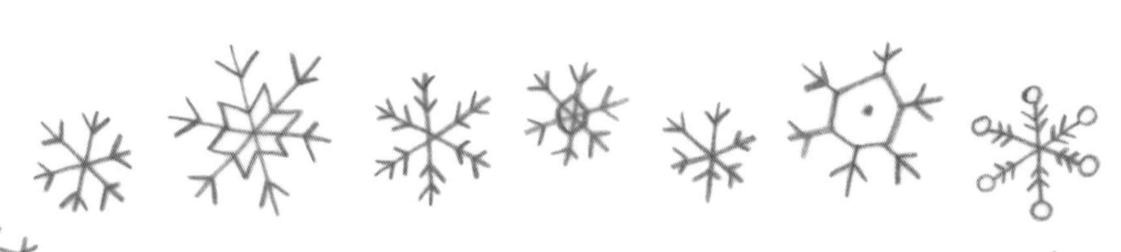

獻給凱莉，
懂得計畫又有耐性的小可愛。

作者・繪者｜**辛德絲・麥克勞德 Cinders McLeod**

插畫家、歌手、作曲家，同時也是低音提琴樂手。辛德絲曾長期為英國《格拉斯哥先驅報》創作社會諷刺漫畫專欄《Broomie Law》，也為許多兒童刊物、商業廣告及國際知名媒體如英國《衛報》與加拿大廣播公司等繪製插畫。她的作品曾獲世界報紙設計協會、加拿大國家報紙獎等多項肯定。現今居住在加拿大多倫多。想更了解辛德絲，可以造訪她的網站：moneybunnies.com和cindersmcleod.com。

譯者｜**顏銘新**

賺錢：曾在兒童書店、金融機構和科技公司努力掙錢。
花錢：在圖畫書和青少年小說花了很多錢。
存錢：想看更多的書、聽音樂和去旅行。
分享：在北市圖當了好多年說故事志工，現在和太太吳方齡一起在小茉莉親子共讀臉書粉絲頁分享小茉莉早餐和國內外童書資訊。

這是

# 哈妮

哈妮的
爸爸

哈妮的 5 個
弟弟妹妹

哈妮夢想中
的儲蓄

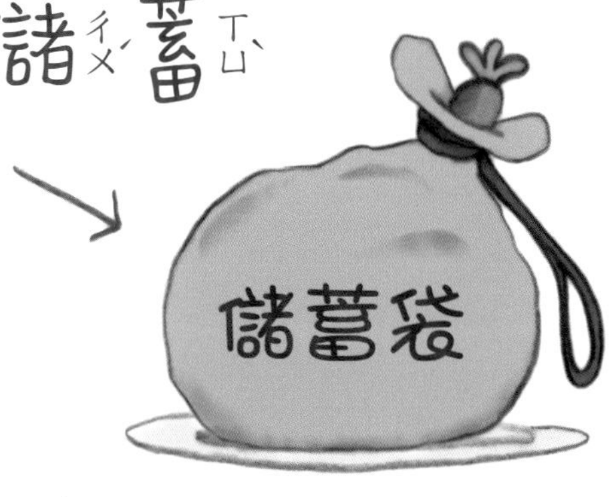


（整個袋子都是錢）

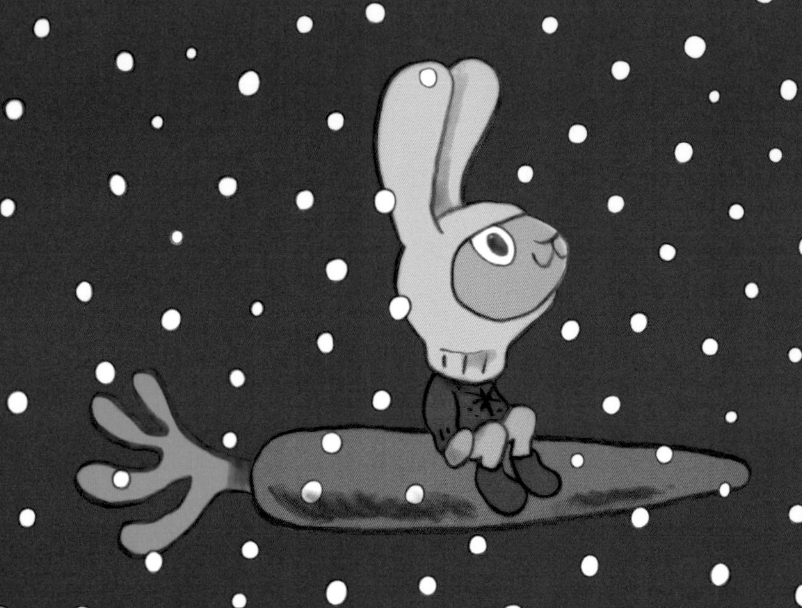

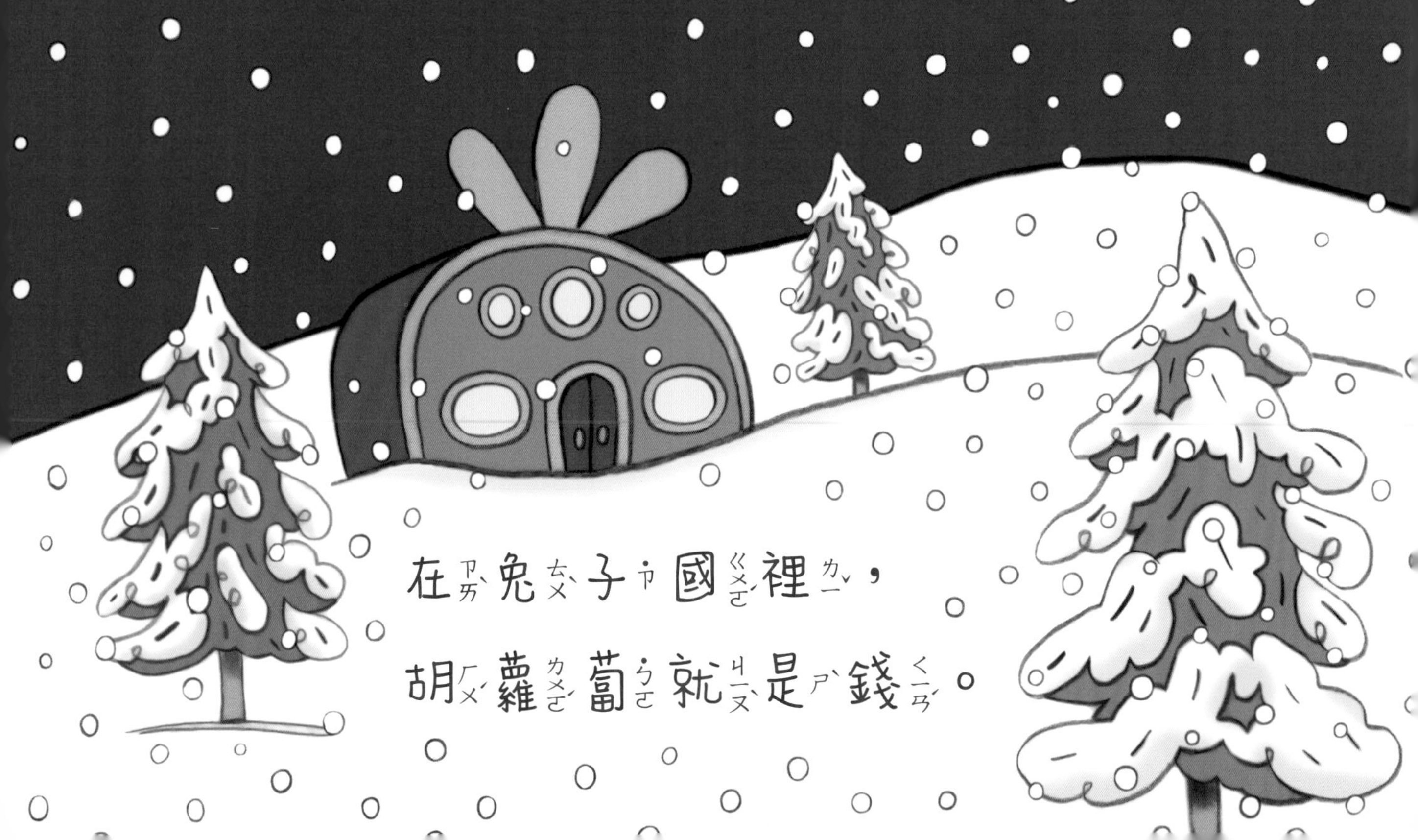

在ㄗㄞˋ兔ㄊㄨˋ子ㄗˇ國ㄍㄨㄛˊ裡ㄌㄧˇ，
胡ㄏㄨˊ蘿ㄌㄨㄛˊ蔔ㄅㄛ就ㄐㄧㄡˋ是ㄕˋ錢ㄑㄧㄢˊ。

每個星期，哈妮
照顧好弟弟妹妹，
就可以賺到 2 根胡蘿蔔。

照顧他們很麻煩！

他們

又吵，

又愛

蹦蹦跳跳。

走嘍！

叭！

叭！

叭！

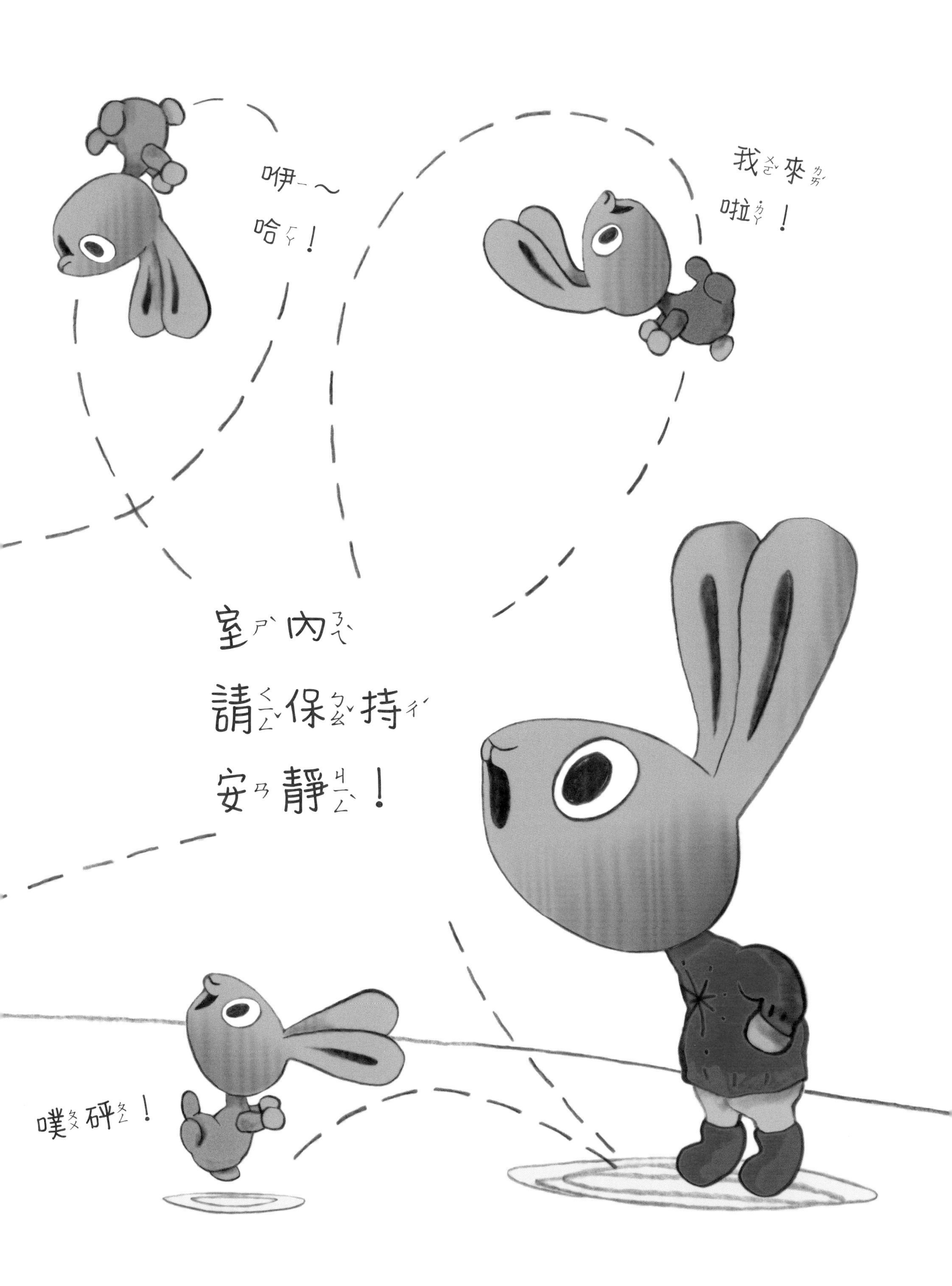
咿～哈！
我來啦！
室內請保持安靜！
噗砰！

天<sub>ㄊㄧㄢ</sub>啊<sub>ㄚ</sub>，我<sub>ㄨㄛ</sub>好<sub>ㄏㄠ</sub>想<sub>ㄒㄧㄤ</sub>要<sub>ㄧㄠ</sub>有<sub>ㄧㄡ</sub>

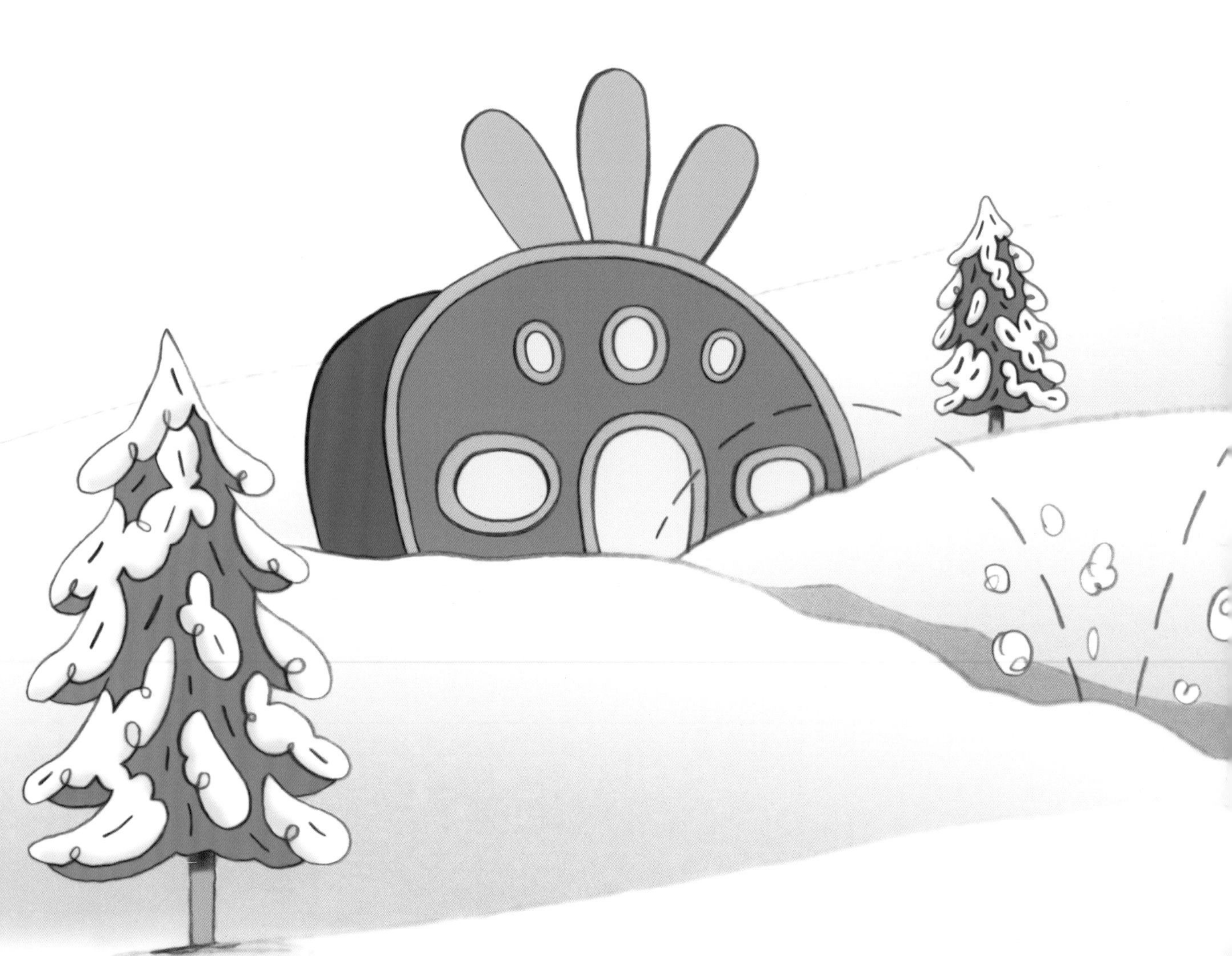

自己的房子！

哈ㄏㄚ妮ㄋㄧˊ，
怎ㄗㄣˇ麼˙ㄇㄜ啦˙ㄌㄚ？
噢ㄠ！
哇ㄨㄚ！
喔ㄛ！

有了自己的房子，
我才能
安靜和放鬆！

我懂了。
可是，哈妮，
買房子
要花很多錢。

沒關係！
你會買
給我呀！

對不起，哈妮。
我沒那麼多錢。

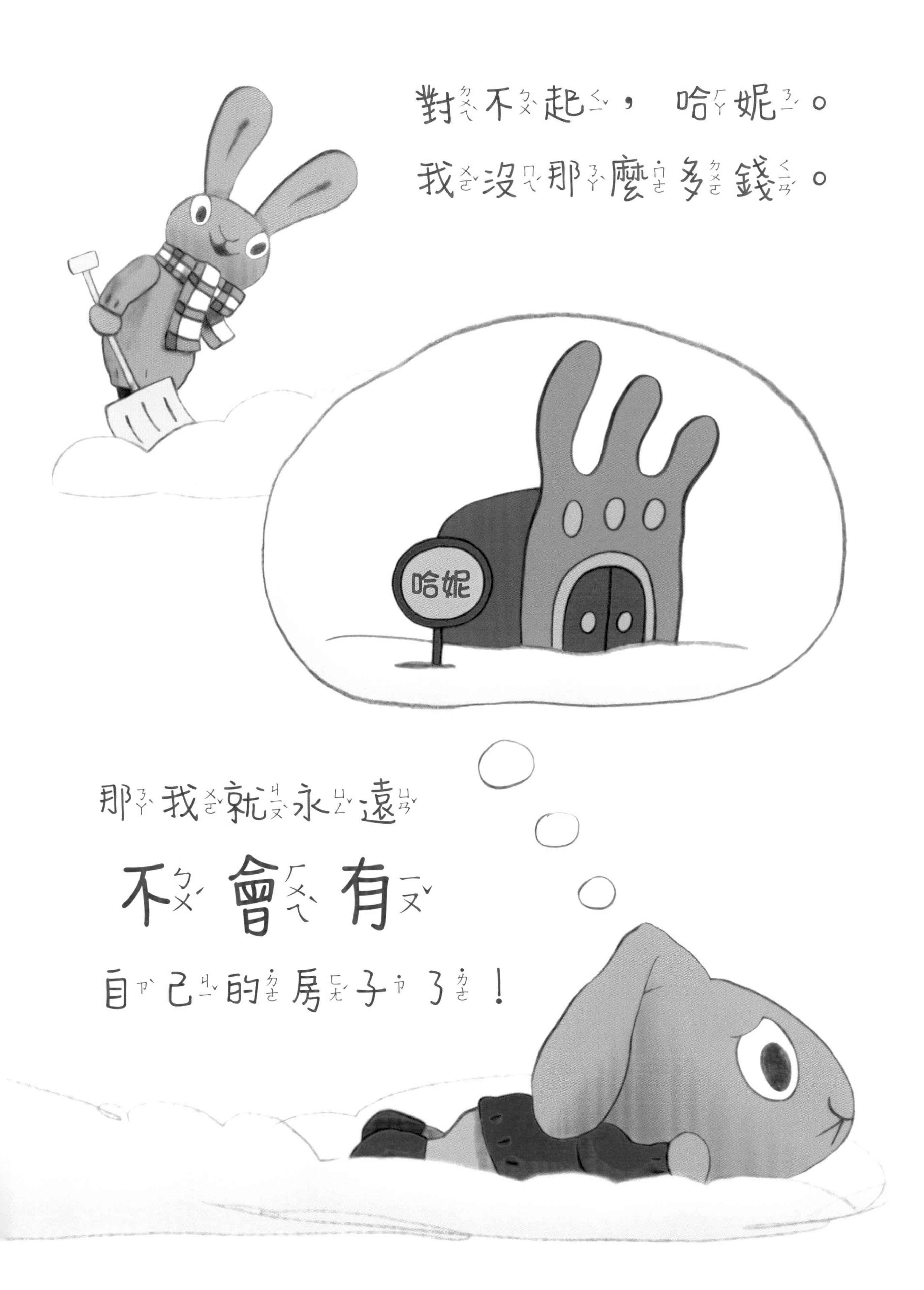


那我就永遠
不會有
自己的房子了！

嗯，也許你可以
試著存錢買一間？

那會不會
遙遙無期？

是要很久沒錯。
再說你還太小，
沒辦法
自己生活……

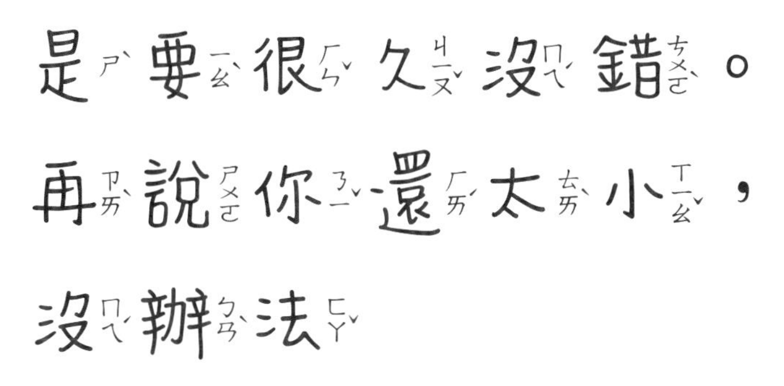

爸，我知道了！
我可以買一間
玩具屋！

哈妮，這個主意太棒了。
你只要存10根胡蘿蔔就夠了。

嗯，每個星期存2根胡蘿蔔……

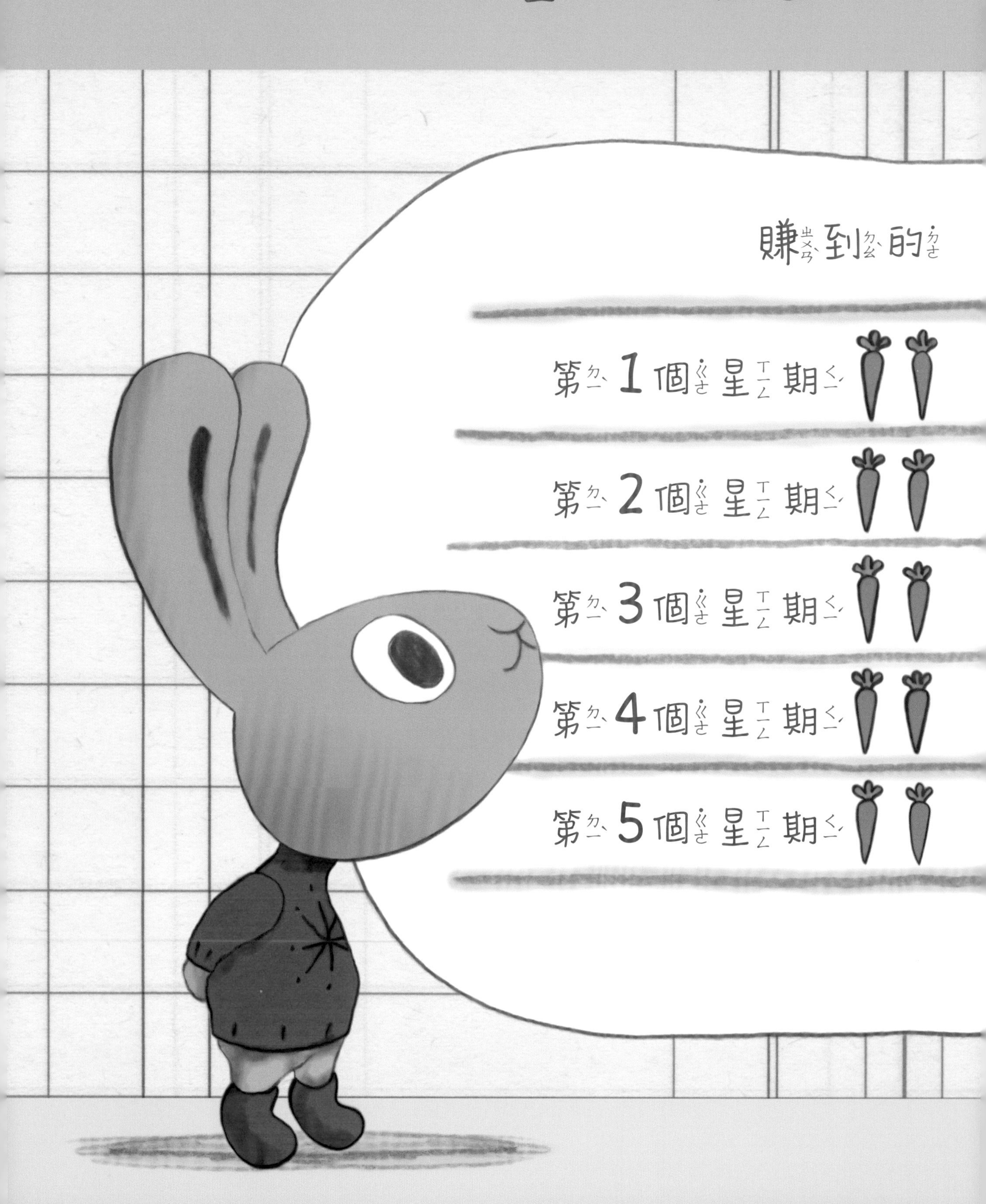

賺ㄓㄨㄢ到ㄉㄠ的ㄉㄜ

第ㄉㄧ 1 個ㄍㄜ星ㄒㄧ期ㄑㄧ

第ㄉㄧ 2 個ㄍㄜ星ㄒㄧ期ㄑㄧ

第ㄉㄧ 3 個ㄍㄜ星ㄒㄧ期ㄑㄧ

第ㄉㄧ 4 個ㄍㄜ星ㄒㄧ期ㄑㄧ

第ㄉㄧ 5 個ㄍㄜ星ㄒㄧ期ㄑㄧ

只要5個星期，我就可以買玩具屋！

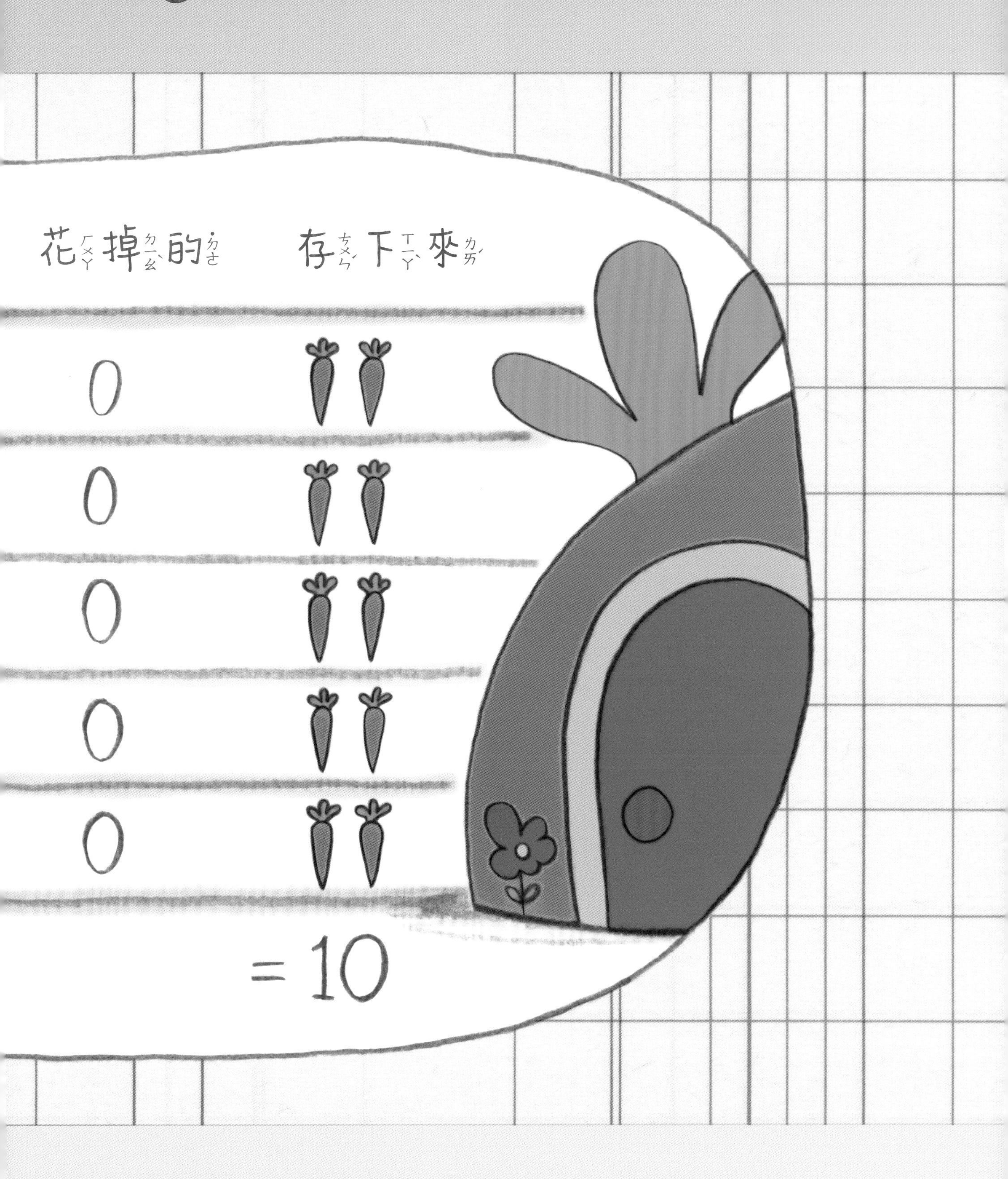

可是如果我

只**存錢**不花錢，

我就不能

買冰淇淋吃，

也不能去看電影！

那樣**不好玩**！

嗯，哈妮，
那是你自己的錢，
你想要怎麼運用呢？

出去玩

會很開心……

但是擁有一間玩具屋也會很開心。
儲蓄袋
也許可以兩全其美！

| | 賺到的 | 花掉的 |
|---|---|---|
| 第1個星期 |  |  |
| 第2個星期 | 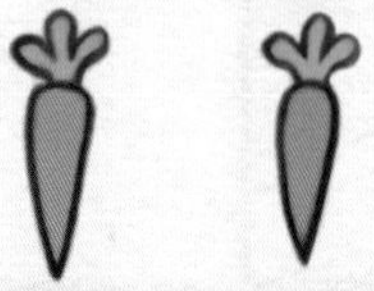 |  |
| 第3個星期 | 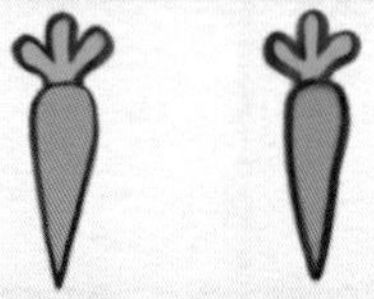 |  |
| 第4個星期 | 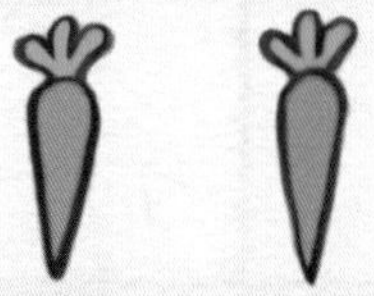 |  |
| 第5個星期 |  |  |
| 第6個星期 |  |  |
| 第7個星期 |  |  |
| 第8個星期 |  |  |
| 第9個星期 |  |  |
| 第10個星期 | 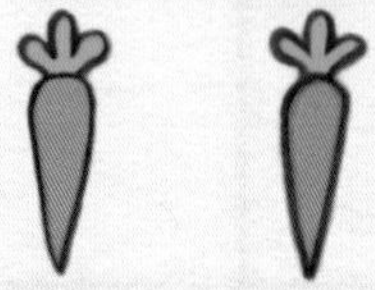 |  |
| | | |

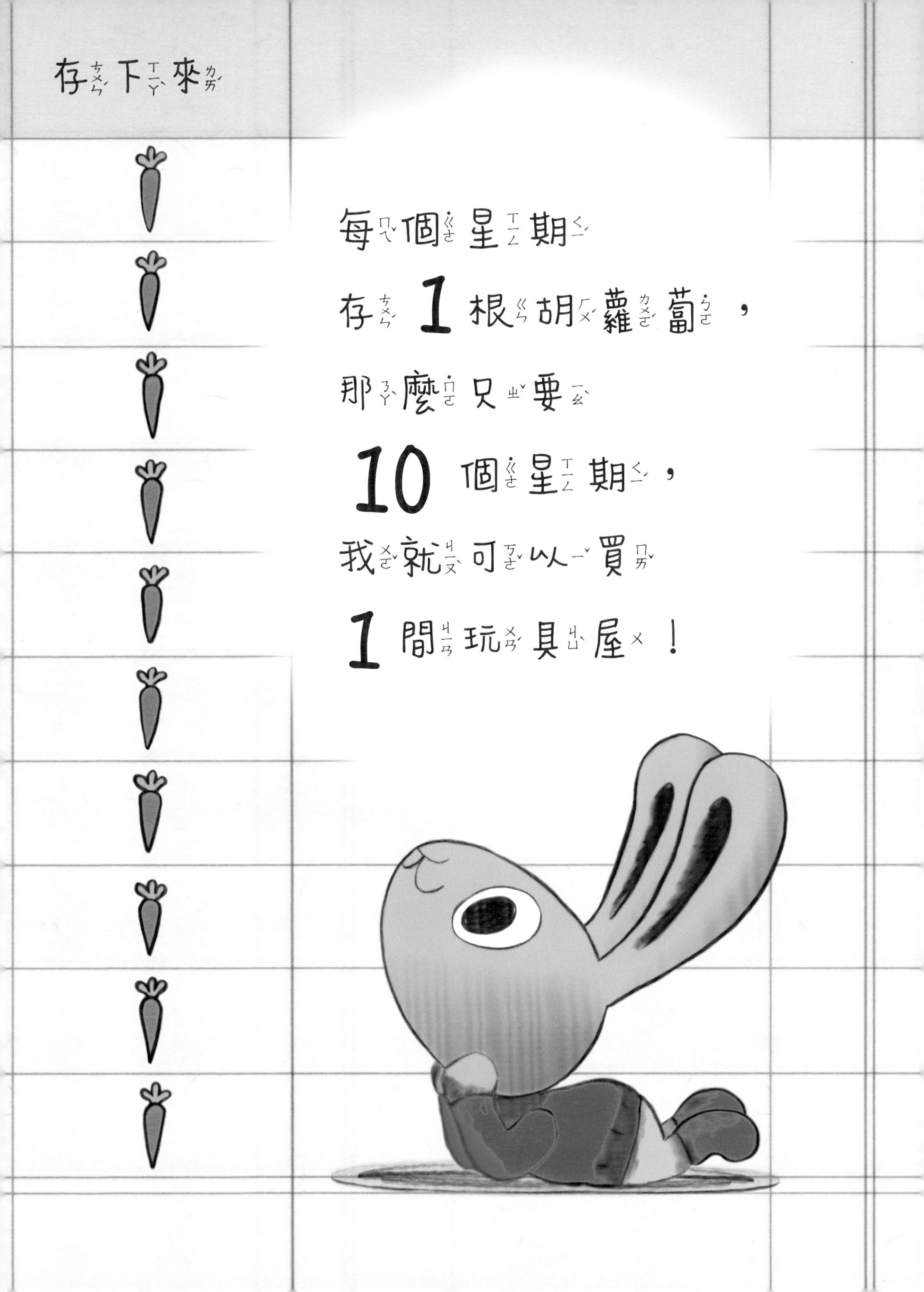
存下來
每個星期
存1根胡蘿蔔，
那麼只要
10個星期，
我就可以買
1間玩具屋！

就這麼辦！

現在我可以一面照顧

弟弟妹妹……

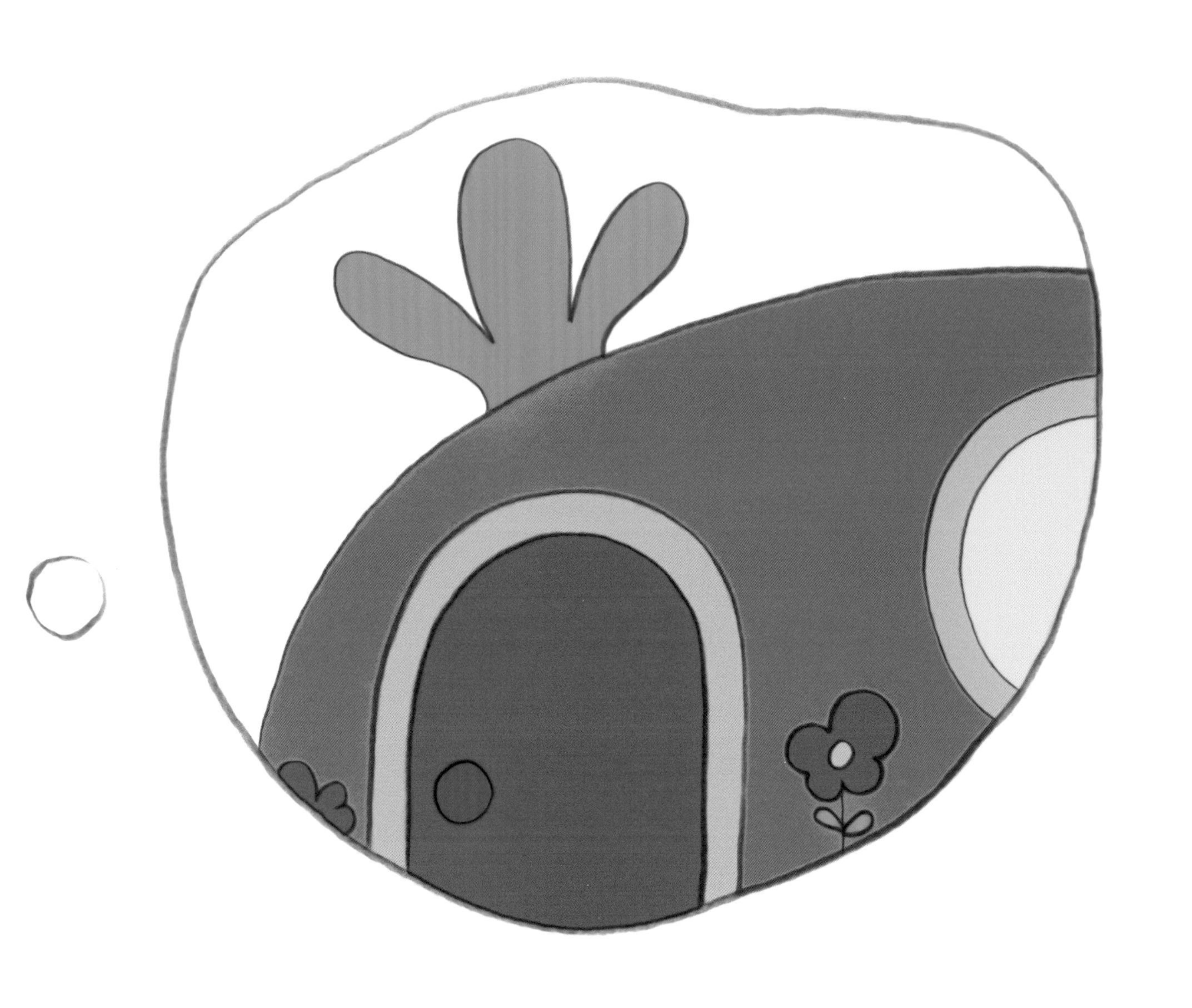

一一面ㄇㄧㄢˋ想ㄒㄧㄤˇ像ㄒㄧㄤˋ

我ㄨㄛˇ自ㄗˋ己ㄐㄧˇ的ㄉㄜ˙玩ㄨㄢˊ具ㄐㄩˋ屋ㄨ！

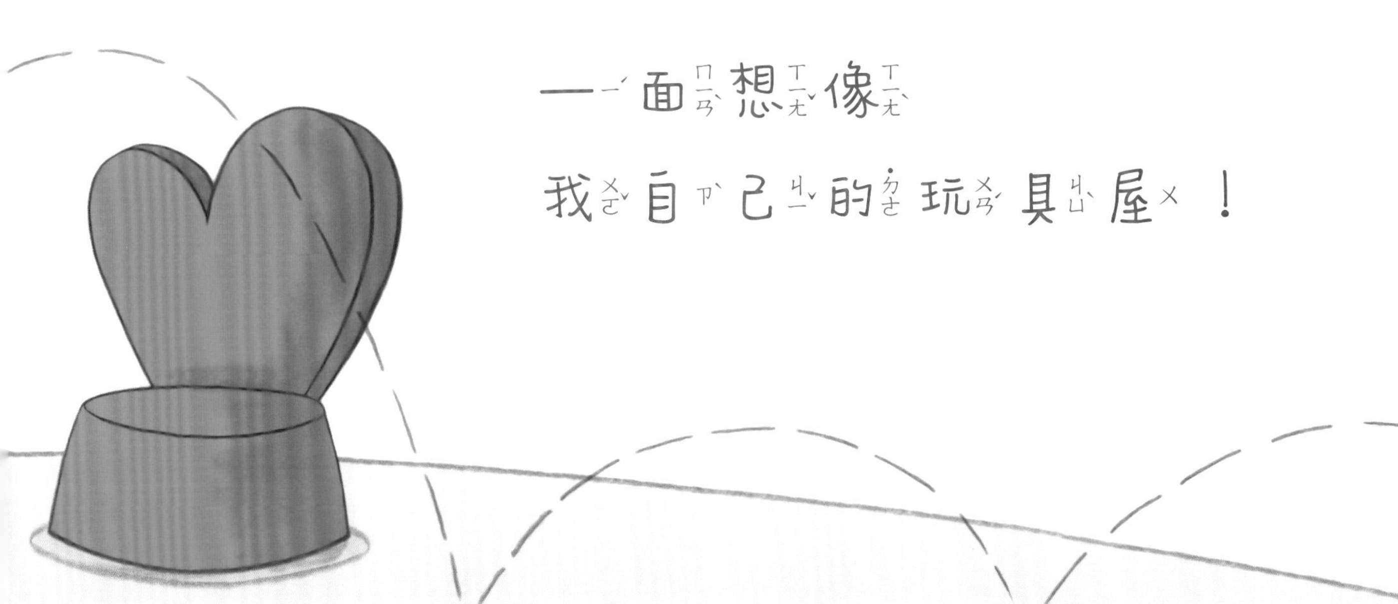

10個星期過去了……

收件人：
理財小兔
哈妮
兔子國
理想貨運公司

哈ㄏㄚ妮ㄋㄧˇ，你ㄋㄧˇ做ㄗㄨㄛˋ到ㄉㄠˋ了ㄌㄜ！
你ㄋㄧˇ靠ㄎㄠˋ自ㄗˋ己ㄐㄧˇ買ㄇㄞˇ到ㄉㄠˋ了ㄌㄜ
玩ㄨㄢˊ具ㄐㄩˋ屋ㄨ！

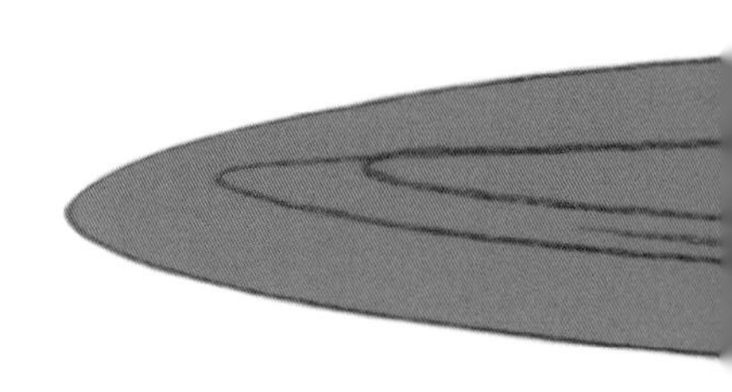

爸，室內
請輕聲細語！
這是我安靜的
地方。

存錢計畫和耐心等待讓我……

夢ㄇㄥˋ想ㄒㄧㄤˇ成ㄔㄥˊ真ㄓㄣ！

知識繪本館

**小兔子學理財3 小兔子學存錢**

Save It! (A Moneybunny Book)

作者｜辛德絲．麥克勞德 Cinders McLeod　譯者｜顏銘新
責任編輯｜戴淳雅　特約編輯｜堯力兒　美術設計｜李潔　行銷企劃｜陳詩茵

天下雜誌群創辦人｜殷允芃　董事長兼執行長｜何琦瑜
媒體暨產品事業群
總經理｜游玉雪　副總經理｜林彥傑　總編輯｜林欣靜
行銷總監｜林育菁　主編｜楊琇珊　版權主任｜何晨瑋、黃微真

出版者｜親子天下股份有限公司　地址｜臺北市104建國北路一段96號4樓
電話｜（02）2509-2800　傳真｜（02）2509-2462　網址｜www.parenting.com.tw
讀者服務專線｜（02）2662-0332　週一～週五 09:00~17:30
讀者服務傳真｜（02）2662-6048　客服信箱｜parenting@cw.com.tw
法律顧問｜台英國際商務法律事務所．羅明通律師
製版印刷｜中原造像股份有限公司
總經銷｜大和圖書有限公司　電話（02）8990-2588

出版日期｜2021年1月第一版第一次印行
2024年7月第一版第十四次印行
定價｜320元　書號｜BKKKC165P　ISBN｜978-957-503-711-6（精裝）

訂購服務
親子天下 Shopping｜shopping.parenting.com.tw
海外．大量訂購｜parenting@cw.com.tw
書香花園｜台北市建國北路二段6巷11號　電話（02）2506-1635
劃撥帳號｜50331356　親子天下股份有限公司

立即購買 >

國家圖書館出版品預行編目資料

小兔子學理財 3：小兔子學存錢 /
辛德絲．麥克勞德 Cinders McLeod 文．圖；
顏銘新 譯 /
-- 第一版 . -- 臺北市：親子天下，2021.01
40 面；20.3X26.7 公分 . --
譯自：Save It! (A Moneybunny Book)
978-957-503-711-6（精裝）
1. 理財 2. 生活教育 3. 繪本
563　109019704